Andrea Maria Wa

Spannende T
im Schwarzwald

Deutsch als Fremdsprache
A1

Ernst Klett Sprachen
Stuttgart

Bildquellennachweis

3.1 iStockphoto (Schmitz Olaf), Calgary, Alberta; **9** Imago (Arco Images), Berlin; **10** Thinkstock (Photodisc), München; **14** Picture-Alliance (Uli Deck), Frankfurt; **18** shutterstock (Radu Razvan), New York, NY; **19.1** Picture-Alliance (Bildagentur Huber), Frankfurt; **19.2** Fotolia.com (Swetlana Wall), New York; **20.1** Fotolia.com (Christian Jung), New York; **20.2** iStockphoto (Dirkr), Calgary, Alberta; **20.3** iStockphoto (Jasmin Awad), Calgary, Alberta; **22.1** shutterstock (David Watkins), New York, NY; **24.1** iStockphoto (Schmitz Olaf), Calgary, Alberta; **25** iStockphoto (Suphatthra China), Calgary, Alberta; **26.1** PantherMedia GmbH (Olaf Kloß), München; **26.2** dreamstime.com (Elena Dremova), Brentwood, TN; **28** Fotolia.com (R Sester), New York; **32** PantherMedia GmbH (Olaf Kloß), München

Sollte es einmal nicht gelungen sein, den korrekten Rechteinhaber ausfindig zu machen, so werden berechtigte Ansprüche selbstverständlich im Rahmen der üblichen Regelungen abgegolten. Die Positionsangabe der Bilder erfolgt je Seite von oben nach unten, von links nach rechts.

Zu diesem Buch gibt es Audiodateien, die mit der Klett-Augmented-App geladen und abgespielt werden können.

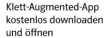

| Klett-Augmented-App kostenlos downloaden und öffnen | Bilderkennung starten und **diese Seite** scannen | Medien laden, direkt nutzen oder speichern |

1. Auflage   1   ¹⁰ ⁹ ⁸ ⁷ | 2022 21 20 19 18

Alle Drucke dieser Auflage sind unverändert und können im Unterricht nebeneinander verwendet werden.
Die letzte Zahl bezeichnet das Jahr des Druckes. Das Werk und seine Teile sind urheberrechtlich geschützt. Jede Nutzung in anderen als den gesetzlich zugelassenen Fällen bedarf der vorherigen schriftlichen Einwilligung des Verlags.

Ansprechpartnerin Redaktion: Margit Klier
Layoutkonzeption: Elmar Feuerbach
Titelbild und Illustrationen: Ulf Grenzer
Gestaltung und Satz: Eva Mokhlis; Swabianmedia, Stuttgart
Umschlaggestaltung: Sandra Vrabec
Druck und Bindung: Medienhaus Plump GmbH, Rolandsecker Weg 33, 53619 Rheinbreitbach
Printed in Germany
Tonregie und Schnitt: Workshop Medien-Service GmbH, Stuttgart
Sprecherin: Kathrin Hildebrand

ISBN 978-3-12-556999-7

Inhalt

Kostenloser Hörtext online:
Einfach QR-Code mit dem Smartphone scannen oder
h2k9vt auf www.klett-sprachen.de eingeben.

N
W ← → O
S

Schleswig-
Holstein
• Kiel

Mecklenburg-
Vorpommern
• Schwerin

Hamburg
• Hamburg

Bremen
• Bremen

Niedersachsen

• Hannover

Berlin
• Berlin
• Potsdam

Brandenburg

Nordrhein-Westfalen

• Düsseldorf

Sachsen-Anhalt
• Magdeburg

Sachsen
• Dresden

Hessen

Thüringen
• Erfurt

Rheinland-
Pfalz

• Wiesbaden
• Mainz

Saarland
• Saarbrücken

Stuttgart

Bayern

Baden-
Württemberg

• München

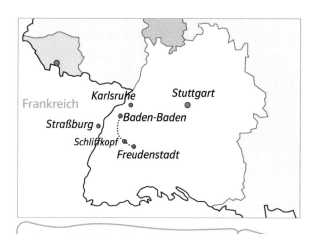

Baden-Württemberg

- circa 11 Millionen Einwohner
- Landeshauptstadt: Stuttgart
- Wirtschaft: Autoindustrie (Mercedes, Porsche, Audi, Smart etc.), Textil (Hugo Boss), Spielzeug (Steiff-Tiere)
- Tourismus (Städte): Stuttgart, Karlsruhe, Freiburg, Freudenstadt, Baden-Baden
- Landschaft: Schwarzwald, Schwarzwaldhochstraße
- Spezialität: Schwarzwälder Schinken, Spätzle, Maultaschen, Schwarzwälder Kirschtorte
- Sport: Wandern, Skifahren, Mountainbike fahren etc.

www.tourismus-bw.de,
www.schwarzwald.com

Schwarzwaldhochstraße

- Deutschlands älteste Panoramastraße
- Von Freudenstadt nach Baden-Baden, circa 60 km
- Von 600 bis 1164 m Höhe

www.Schwarzwaldhochstrasse.de,
www.schwarzwald-bike.de,
www.schwarzwald.com/hochstrasse/
lotharpfad.html,
www.luchspfad-baden-baden.de

Freudenstadt

- circa 24.000 Einwohner
- größter Marktplatz Deutschlands

www.freudenstadt.de

Baden-Baden

- circa 55.000 Einwohner
- Tourismus, heiße Thermalquellen (Thermalschwimmbad), Kunstmuseum, Festspielhaus (klassische Konzerte)

www.baden-baden.de

der Baum, die Bäume

die Kurve

Tobias wohnt in Stuttgart. Im Moment hat er Herbstferien. Er schläft gerne lange, aber heute klingelt das Telefon.

„Tobi, für dich!", ruft seine Mutter. „Steh auf!"

Tobias ist noch müde, weil er gestern Abend Computerspiele gespielt hat. Er geht in die Küche und sagt: „Hallo Mama, wer ist denn am Telefon?"

„Dein Freund Max."

• • •

„Max? Was ist denn los? Warum rufst du denn so früh an?"

„Hallo Tobi! Ich habe zum Geburtstag ein neues Mountainbike bekommen. Das möchte ich testen. Kommst du mit?", fragt Max.

„Ja, gerne. Wohin fahren wir denn?"

„Auf die Schwarzwaldhochstraße. Meine Mutter fährt uns mit dem Auto nach Freudenstadt. Wir fahren dann mit dem Rad nach Baden-Baden. Das sind ungefähr 60 Kilometer."

„Ich muss aber noch frühstücken. Wann treffen wir uns?"

„Es ist jetzt 10 Uhr. Wir holen dich um 11 Uhr ab."

„Alles klar, Max. Dann bis gleich!"

2 / Start in Stuttgart 🔊

Um elf Uhr kommt Max mit seiner Mutter zu Tobias.

„Guten Morgen, Frau Winter! Hallo Max!"

„Hallo Tobias", sagt Frau Winter.

Sie legen Tobias' Fahrrad ins Auto und fahren los. Tobias wohnt im Zentrum von Stuttgart. In der Nähe ist das Schloss. In Stuttgart gibt es auch die „Wilhelma", so heißt der Zoo. Dort kann man viele exotische Tiere sehen: Giraffen, Tiger, Elefanten, ... Aber die Jungen interessieren sich nicht für Tiere. Sie wollen Mountainbike fahren.

• • •

Sie fahren auf der Autobahn in Richtung Süden. Es gibt hier noch nicht viele Berge und auch nicht viele Bäume. Als sie das Schild

„Freudenstadt – Schwarzwaldhochstraße" lesen, fahren sie von der Autobahn herunter. Hier sehen sie viele schöne Dörfer. Touristen

fahren gerne in den Schwarzwald. Hier kann man wandern, gut essen, Kuckucksuhren kaufen …

„Seht mal, bis Freudenstadt sind es nur noch 2 Kilometer!", sagt Frau Winter. „Wir sind gleich da!"

Sie fahren an vielen Hotels vorbei. Überall sind schöne Blumen: Rosen, Geranien … Aber das interessiert die Jungen nicht. Sie wollen ihre Mountainbike-Tour starten.

Sie fahren auf einen großen Parkplatz am Waldrand. Frau Winter parkt das Auto und sie steigen aus.

„Tobias, hilfst du mir?", fragt Max. Sie nehmen ihre Fahrräder aus dem Auto und stellen sie auf den Parkplatz.

„Habt ihr auch Getränke eingepackt?", fragt Max' Mutter.

„Ja klar, ich habe eine große Flasche Wasser in meinem Rucksack", sagt Max. „Und du, Tobi?"

„Ich auch."

„Ich kann euch leider nicht in Baden-Baden abholen. Ich muss zurück nach Stuttgart."

„Kein Problem, Frau Winter. Wir fahren von Baden-Baden mit dem Zug nach Stuttgart zurück", erklärt Tobias.

„Und vorher essen wir in Baden-Baden noch ein Eis!", sagt Max und lacht.

„Also dann, viel Spaß! Bis heute Abend!", sagt Frau Winter.

„Tschüs, Mama!"

„Vielen Dank, Frau Winter!", ruft Tobias.
„Ade!" Frau Winter steigt ins Auto und fährt los. Max und Tobias winken.
Ihre Mountainbike-Tour beginnt.

3 / Die Tour beginnt ⓕ

Tobias und Max steigen auf ihre Mountainbikes und fahren los. Die „Schwarzwaldhochstraße" beginnt in Freudenstadt. Von hier aus geht es immer weiter nach oben. Der höchste Punkt ist 1.164 Meter hoch. Die Jungen sind sehr sportlich. Tobias spielt Basketball und Max spielt Fußball. Radfahren oder Mountainbike fahren ist für sie nur ein Hobby.

· • ·

„Puh, ganz schön anstrengend", sagt Max nach einer Stunde.

„Du hast aber keine gute Kondition!", lacht Tobias und fährt an ihm vorbei. Aber bald lacht er nicht mehr. „Warte mal, ich brauche eine Pause!", sagt er.

„Ach, bist du nicht fit?" Jetzt lacht Max. Aber er ist auch müde.

Sie fahren ein paar Kilometer weiter. Dann machen sie eine Pause und trinken Wasser.

„Max, ist es noch weit bis zum höchsten Punkt?", fragt Tobias.

„Keine Ahnung. Ich fahre zum ersten Mal mit dem Rad nach oben. Mit dem Auto geht es viel schneller …", meint Max.

Nach ein paar Minuten fahren sie weiter. Aber nach einer halben Stunde müssen sie wieder eine Pause machen. Tobias ist sehr durstig, aber sie haben nichts mehr zu trinken. Die großen Wasserflaschen, die sie mitgenommen haben, sind schon lange leer.

„Hoffentlich sind wir bald da!", sagt Tobias. „Ich würde jetzt so gerne eine Limo trinken …"

„… oder eine Cola, oder einen Orangensaft …", sagt Max. Er ist auch sehr durstig.

Das Wetter ist gut. Die Sonne scheint. Aber die Radfahrer sind müde und würden gerne etwas trinken.

4 Der Lotharpfad

„Tobi, sieh mal: da vorne beginnt der Lotharpfad. Da können wir eine kleine Pause machen", sagt Max.

„Der Lotharpfad? Was ist das denn?"

„Das ist ein Naturmonument. 1999 gab es den Orkan „Lothar". Er hat hier im Schwarzwald viele Quadratkilometer Wald zerstört.

Weißt du das nicht mehr?"

„Nein, das war in den Winterferien. Da war ich mit meiner Familie auf den Kanarischen Inseln", sagt Tobias.

„Der Lotharpfad ist ein Stück Wald, das so aussieht wie direkt nach dem Orkan. Du kannst ungefähr einen Kilometer durch den Wald gehen. Dabei musst du über Bäume klettern, die beim Orkan umgefallen sind. Alles ist kaputt. Aber du kannst auch sehen, dass neue Pflanzen wachsen. Es gibt auch wieder viele kleine Bäume", erklärt Max.

„Woher weißt du das alles?", will Tobias wissen.

„Ich war mit meinen Großeltern hier. Mein Opa hat mir das alles erklärt."

· • ·

Sie stellen ihre Fahrräder an einen Baum.

„Dein Mountainbike sieht wirklich super aus, Max!"

„Ich habe es von meinem Onkel zum Geburtstag bekommen."

„Echt cool. Besonders das Design: Silber mit lila. So ein cooles Design habe ich hier noch nie gesehen."

„Mein Onkel hat es in Frankreich gekauft."

„In Frankreich?"

„Ja, in Straßburg. Er wohnt in Karlsruhe und fährt oft zum Einkaufen nach Straßburg. Das ist ja auch nicht weit."

„Cooler Onkel."

· ● ·

„Ein Naturmuseum – von der Natur gemacht", steht auf einem Poster am Eingang.

„Sieh mal, die Bäume sehen ja schrecklich aus!", sagt Max.

„Welche Bäume? Hier ist doch alles kaputt!", meint Tobias.

Er ist schockiert. Natürlich hat er in der Zeitung Informationen über den Orkan „Lothar" gelesen. Er hat auch im Fernsehen Dokumentationen gesehen. Aber jetzt steht er vor den Resten der großen Bäume.

„Sieh mal: Hier ist ein gratis Gratis-Mini-Poster mit Informationen über den Schwarzwald: Hier leben viele Tiere: Rehe, Füchse, Luchse …", sagt Tobias. „Das nehme ich für meine Mutter mit!"

· • ·

Max interessiert sich nicht für Tiere.

„Das ist etwas für Mädchen", meint er. „Meine kleine Schwester hat überall in ihrem Zimmer Tierposter von Hunden, Katzen, Pferden, Kaninchen …"

Die Jungen haben genug gesehen. Sie wollen jetzt weiterfahren bis zum Schliffkopf. Da gibt es Restaurants, die Spezialitäten aus dem Schwarzwald anbieten.

5 / Das neue Fahrrad 🎧

Die beiden Jungen gehen zurück zu ihren Mountainbikes.
„He, was machst du da? Das ist MEIN Fahrrad!", ruft Max plötzlich.
Vor seinem Fahrrad steht ein blondes Mädchen.
„Pardon?"
„Ich habe gesagt, das ist mein Fahrrad! Was machst du da?", sagt Max noch einmal.
„Das stimmt nicht. Das ist MEIN Fahrrad", sagt das Mädchen. Sie spricht Deutsch mit französischem Akzent.

„Voilà – hier steht mein Name!", sagt das Mädchen. Wirklich! Auf dem Fahrrad steht ein Name: M. Dubois.
„Aber das kann doch nicht sein …", sagt Max leise.
„Doch, Max! Sieh mal: Dein Fahrrad steht hier neben meinem Mountainbike …", sagt jetzt Tobias.

• • •

„Entschuldigung … tut mir leid … Aber mein Onkel hat das Fahrrad in Frankreich gekauft und dieses Design gibt es hier in Deutschland nicht …", sagt Max leise.
Das Mädchen lacht. „Ich habe mein Fahrrad auch in Frankreich gekauft, in meiner Stadt, in Straßburg …"

„Du kommst aus Frankreich? Und was machst du hier? Auf der Schwarzwaldhochstraße?" Max hat viele Fragen.

„Was ich hier mache? Na, ich trainiere für die Tour de France …" Das Mädchen lacht.

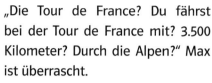

Tour de France
• schwerstes Radrennen der Welt
• seit 1913
• 3500 km
• 150 – 250 km pro Tag
• Ziel: Paris

„Die Tour de France? Du fährst bei der Tour de France mit? 3.500 Kilometer? Durch die Alpen?" Max ist überrascht.

„Nein, nein. Das war ein Witz … Ich habe das Mountainbike seit einer Woche. Ich will eine Testfahrt machen. Also bin ich hier!"

• • •

„Das Mädchen ist sehr nett", denkt Tobias.

„Wie heißt du eigentlich?", fragt er.

„Michelle, und du?"

„Ich bin Tobias. Meine Freunde sagen ‚Tobi'. Und das ist Max."

„Hallo Tobias/Tobi, hallo Max! Und warum seid ihr hier?"

„Na ja, mein Mountainbike ist auch neu. Da habe ich Tobi gefragt, ob er eine Tour mit mir machen möchte."

„Und wohin fährst du?"

„Nach Baden-Baden. Ich fahre mit dem Zug zurück nach Straßburg. Und ihr?", will Michelle wissen.

„Wir auch. Dann können wir ja zusammen weiterfahren!", sagt Max.

„Aber vorher machen wir noch eine Pause in einem Restaurant mit Spezialitäten aus dem Schwarzwald. Kommst du mit, Michelle?"

„Ja, gerne. Dann los!"

6 / Spezialitäten aus dem Schwarzwald

Michelle, Tobias und Max fahren weiter. Schnell sind sie auf dem höchsten Punkt der Schwarzwaldhochstraße auf 1.164 Meter Höhe. In der Nähe ist der Mummelsee. Da gibt es ein Restaurant mit großer Terrasse. Das Wetter ist sehr gut. Die Sonne scheint. Es ist Oktober, aber man kann noch draußen sitzen.

. • .

„Spezialitäten aus der Region" lesen sie auf der Speisekarte.
„Was möchtest du essen, Michelle?", fragt Max.
„Etwas Typisches aus der Region",
sagt sie.
„Dann kannst du Maultaschen
essen, die sind mit Gemüse oder
Fleisch gefüllt."
„Ich nehme die Maultaschen mit
Gemüse und ohne Fleisch."

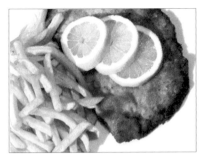 

„Bist du Vegetarierin?", will Max wissen.

„Ja, mir tun die Tiere immer leid. Ich esse kein Fleisch."

„Also, ich denke heute nicht an die Tiere. Ich nehme ein Schweine-schnitzel mit Pommes", sagt Max.

„Und du, Tobias? Was isst du?"

„Spätzle mit Rostbraten."

„Michelle, was möchtest du trinken?"

„Ein Wasser. Und was trinkt ihr?"

„Spezi und Apfelschorle." Zum Nachtisch essen sie alle noch ein Stück Schwarzwälder Kirschtorte. Lecker!

Spezi = Limonade mit Cola
Apfelschorle = Apfelsaft mit
Mineralwasser

7 / Im Wald ✏

Nach dem Essen gehen sie zurück zu ihren Mountainbikes. Dann fahren sie weiter in Richtung Baden-Baden. Das Radfahren macht jetzt Spaß. Sie fahren vom höchsten Punkt aus nach unten. Es gibt viele Kurven. Sie fahren sehr schnell. Max fährt als Erster, dann kommen Tobias und Michelle.

Auf der rechten Seite ist ein Waldweg. „Tobi, sieh mal: da steht ein schwarzes Auto", sagt Michelle. Im Auto sitzen zwei Männer mit Sonnenbrillen und schwarzen Mützen.

„Komisch", denkt Tobias. „Was machen die Männer denn hier im Wald?"

Plötzlich fährt das Auto schnell aus dem Waldweg auf die Straße.

„Halt!", ruft Max laut. Und dann liegt Max neben seinem Mountainbike im Gras.

„Diese Idioten! Sie sind einfach weggefahren!"

„Bist du verletzt?", fragt Michelle.

„Nein, mir ist nichts passiert. Aber mein Mountainbike ... der Lenker ist nicht mehr gerade – und jetzt?"

„Das ist doch kein Problem. Du musst diese Schraube nur wieder festmachen", sagt Tobias.

„Wie denn? Ich habe doch keinen Schraubenzieher", sagt Max leise.

„Aber ich habe einen Schraubenzieher. Wir haben doch das gleiche Mountainbike, dann passt mein Werkzeug auch für dein Rad", sagt Michelle. „Typisch Jungs, ihr denkt an die Tour, aber nicht an Werkzeug!" Sie lacht.

„Ha, ha, sehr lustig ...", sagt Max, aber dann lacht er auch.

• • •

„Max, hast du das Autokennzeichen gesehen?", fragt Tobias.

„Nicht genau, aber das Auto kommt aus Berlin", sagt Max.

„Woher weißt du das?", fragt Michelle.

„Der erste Buchstabe zeigt, aus welcher Stadt das Auto kommt. „B" ist für Berlin, „S" ist für Stuttgart, „M" ist für München und so weiter."

„Interessant. In Frankreich gibt es viele Zahlen und Buchstaben, aber du weißt nicht genau, aus welcher Stadt ein Auto kommt."

„Wir müssen die Polizei informieren!", sagt Tobias.

„Ach was, mein Mountainbike fährt ja wieder und mir ist auch nichts passiert", sagt Max. „Kommt, wir fahren weiter. Ich möchte in Baden-Baden ein Vanilleeis mit Sahne essen ..."

8 Was ist das?

uuh

uuh

Die drei wollen gerade losfahren, da hört Michelle etwas.

„Warte mal, was war das?", fragt Michelle.

„Was denn?"

„Ich habe etwas gehört … - da, hört ihr es auch? Da ist etwas im Wald!"

„Ich höre nichts."

„Ich auch nicht." Tobias und Max wollen weiterfahren.

„Was ist das?", fragt Michelle.

„Ein Werwolf, ein Monster …", lacht Max.

Aber dann ist er still. Er hört es auch!

„Was kann das sein? Gibt es hier wilde Tiere?", fragt Michelle.

„Tiger? Löwen? Ja, natürlich, die gibt es. Aber die sind nicht auf der Schwarzwaldhochstraße, die kannst du in Stuttgart im Zoo sehen." Max lacht.

„Komm, wir fahren weiter", sagt jetzt auch Tobias.

Aber dann hören sie alle wieder etwas im Wald. Es ist sehr laut. Was ist das?

· • ·

„Also ich sehe jetzt nach, was das ist!", sagt Michelle.

„He, Michelle, warte! Wir kommen mit!", sagt Tobias. Sie stellen ihre Fahrräder unter einen Baum und gehen in den Wald hinein. Es ist sehr dunkel. Ein Baum steht neben dem anderen. Die Sonnenstrahlen kommen nicht bis unten auf den Waldboden.

„Jetzt weiß ich endlich, warum der Wald ‚Schwarzwald' heißt", sagt Michelle. „Es ist wirklich ganz dunkel hier, ganz schwarz …"

„Seid leise, ich höre nichts mehr!", sagt jetzt Tobias.
Aber dann hören sie wieder etwas.
„Wir müssen nach rechts gehen!", sagt Max.
„Da ist es aber sehr dunkel", meint Michelle.
„Hast du Angst?", fragt Max.
„Nein, ich bin ja nicht alleine hier …"

Aber ein bisschen Angst haben sie alle. Sie wissen nicht, was sie im Wald finden werden. Sie gehen immer weiter in den dunklen Wald hinein.

· ● ·

„Seht mal, da hinten ist etwas!" Michelle hat etwas gesehen. Sie gehen weiter. Dann sehen sie eine große Kiste. In der Kiste ist ein Tier. Das Tier ist sehr laut.

„Was ist das?", will Michelle wissen.

„Das sieht aus wie eine Tierfalle", meint Tobias.

„Eine Tierfalle?"

„Ja, das ist eine Kiste, die offen ist. In der Kiste gibt es etwas zu fressen. Wenn das Tier in die Kiste hineingeht, schließt ein Mechanismus die Tür. Das Tier kann dann nicht mehr aus der Kiste heraus", erklärt Tobias.

„Woher weißt du das?", fragt Max.

„Ich habe gestern Abend im Fernsehen eine Dokumentation darüber gesehen", sagt Tobias.

„Und was ist das für ein Tier? Ist das Tier gefährlich?", fragt Michelle.

Das Tier hört die Menschen und ist sehr nervös. Es ist sehr laut.

„Mal sehen, was das für ein Tier ist", sagt Max.

Die drei gehen näher an die Kiste heran. Die Kiste ist geschlossen. Aber an der Seite können sie hineinsehen.

„Seht mal: das ist ja eine Überraschung!", sagt Max.

„Was ist das für ein Tier?", fragt Michelle.

„Ein Luchs", sagt Tobias.

„Ein Luchs? Gibt es hier im Schwarzwald Luchse?" Michelle ist überrascht.

„Ja, ich habe letzte Woche etwas in der Zeitung darüber gelesen. Touristen haben gesagt, dass sie im Wald neben der Schwarzwaldhochstraße Luchse gesehen haben", sagt Tobias.

„Vor 400 Jahren gab es überall Luchse, aber heute gibt es hier nur noch wenige Luchse", sagt Max.

„Aber warum steht hier eine Kiste?", will Michelle wissen.

„Ich habe eine Idee: Die Männer mit dem schwarzen Auto

aus Berlin haben die Kiste hier aufgestellt!", sagt Max.

„Aber warum?", fragt Michelle.

„Vielleicht wollen sie den Luchs verkaufen."

„Wirklich?" Michelle kann das nicht glauben. „Und dann?"

„Dann kannst du einen schönen Pelzmantel aus Luchsfell kaufen …", sagt Max.

„Ist das legal?"

„Natürlich nicht, das ist verboten. Das ist illegal. Aber vielleicht gibt es Menschen, die viel Geld für einen Luchs bezahlen", meint Tobias.

„Wir müssen den Förster informieren! Er muss den Luchs hier abholen!", sagt Max. „Aber wir haben keine Telefonnummer!"

„Doch: die Telefonnummer steht auf dem Mini-Poster vom Lotharpfad, das ich für meine Mutter mitgenommen habe", sagt Tobias.

· ● ·

Sie telefonieren mit dem Förster. Sie müssen nicht lange warten. Der Förster ist im Wald in der Nähe der Schwarzwaldhochstraße und kommt sofort.

„Danke, dass ihr mich informiert habt! Das habt ihr sehr gut gemacht!", sagt er. „Ich suche schon lange die Personen, die diese Kisten in den Wald stellen."

„Wir haben Männer in einem Auto gesehen. Es ist ein schwarzer Jeep aus Berlin. Die Männer im Auto hatten schwarze Mützen und dunkle Sonnenbrillen", sagt Max.

„Dann informiere ich jetzt die Polizei", sagt der Förster und telefoniert.

„Und was passiert jetzt mit dem Luchs?", will Michelle wissen.

„Ich bringe den Luchs zum Tierarzt. Wenn das Tier gesund ist, kann es wieder in den Wald zurück", sagt der Förster.

„Und wir fahren jetzt weiter nach Baden-Baden", sagt Max.

Die drei gehen zurück zu ihren Fahrrädern und fahren weiter nach Baden-Baden. Auf dem Weg sind sie sehr still. Alle denken an den Luchs und an die Männer im schwarzen Auto. Es sind nur noch ein paar Kilometer bis Baden-Baden. Da sehen sie ein Schild: „Luchspfad".

„Kleine Pause!", ruft Max.

Sie halten an und lesen die Information. Es gibt einen Weg durch den Wald. Dort gibt es viel Information über Luchse, wie sie leben, was sie fressen …

„Wie interessant", sagt Michelle.

„Ja, aber das sehen wir uns heute nicht mehr an. Ich möchte jetzt

gerne in Baden-Baden ein Eis mit Sahne essen …", sagt Tobias.

„Dann los, wer bekommt als Erster ein Eis …?"

• • •

Endlich kommen sie in Baden-Baden an. Im Zentrum gibt es viele Geschäfte und viele Touristen.

„Wo kann man denn hier ein Eis essen?", will Michelle wissen.

„Da hinten!", sagt Max.

Er kennt Baden-Baden. Er ist hier oft mit seiner Oma. Seine Großmutter geht gerne einkaufen und in Baden-Baden gibt es viele elegante Geschäfte.

„Seht mal, da steht das schwarze Auto aus Berlin!", ruft Michelle plötzlich.

„Und da vorne sind die beiden Männer!", sagt Tobias. Die Männer gehen in ein Geschäft. Dort kann man elegante Kleidung kaufen.

· • ·

„Ich rufe die Polizei an!", sagt Max. Er nimmt sein Handy und wählt 110. Er informiert die Polizei über die Männer. Die drei warten vor dem Geschäft. Ein Polizeiauto kommt sofort. Zwei Polizisten steigen aus.

„Hallo Max. Danke, dass du die Polizei informiert hast", sagt ein Polizist. „Bitte wartet hier!"

Die Polizisten gehen in das Geschäft. Nach ein paar Minuten kommen sie wieder heraus. Die Männer aus dem schwarzen Auto kommen auch mit. Aber sie müssen in das Polizeiauto einsteigen …

„Das habt ihr sehr gut gemacht! Wir haben diese Kriminellen schon lange gesucht!", sagt der Polizist. „Sie sind kriminelle ‚Experten' für exotische Tiere. Sie verkaufen die Tiere illegal."

„Warum sind sie denn hier in Baden-Baden? Hier ist doch kein Zoo!", fragt Tobias.

„Die Männer denken, dass sie exotische Tiere an elegante Geschäfte verkaufen können. Aber hier in Baden-Baden gibt es nur seriöse Geschäfte. Der Besitzer des Modegeschäfts hat uns auch informiert. Danke für eure Hilfe!", sagt der Polizist. „Könnt ihr bitte noch mit zur Polizeiwache kommen? Wir müssen die Information noch einmal genau aufschreiben."

„Ja, natürlich", sagt Tobias.

• • •

„Schade, das Eis können wir erst später essen …", sagt Max leise.

„Aber dann habt ihr auch mehr Geld und könnt ein großes Eis essen!", sagt der Polizist und lacht.

„Geld?" Die drei verstehen das nicht.

„Ja, ihr bekommt 100 Euro. Das Geld ist für Personen, die einen Luchs im Wald sehen und die Information weitergeben. Ihr habt

den Förster informiert. Also bekommt ihr das Geld."

„Wirklich? Das ist ja super!" Alle lachen.

„Und der Reporter der Zeitung will sicher auch ein Interview mit euch machen …", sagt der Polizist.

„Wie interessant! Ich habe gedacht, der Schwarzwald ist langweilig für junge Leute!", sagt Michelle. „Aber es ist richtig cool hier: gutes Essen, nette Leute, exotische Tiere im Wald, elegante Geschäfte, Zeitung, Interview …"

· ● ·

Michelle, Tobias und Max gehen in ein Eiscafé und bestellen ein großes Eis. Der Tag war sehr schön.

Dann fahren sie mit dem Mountainbike zum Bahnhof. Michelle will mit dem Zug nach Straßburg fahren. Max und Tobias fahren zurück nach Stuttgart.

· ● ·

Sie sind gute Freunde geworden. In den nächsten Wochen wollen sie sich alle noch einmal treffen und wieder eine Mountainbike-Tour zusammen machen.

Wer weiß, was sie dann auf ihrer Tour finden …?

QUIZ

Nur eine Antwort ist richtig!

1
- ○ A Baden-Württemberg liegt im Osten von Deutschland.
- ○ B Baden-Württemberg liegt südlich von Frankreich.
- ○ C Baden-Württemberg liegt im Südwesten von Deutschland.

2
- ○ A Freudenstadt ist die Hauptstadt vom Schwarzwald.
- ○ B Freudenstadt hat den größten Marktplatz Deutschlands.
- ○ C In Freudenstadt liegt der Zoo „Wilhelma".

3
- ○ A Es gibt in Baden-Baden viele Luchse.
- ○ B Es gibt nur wenige Luchse im Schwarzwald.
- ○ C Luchse sind eine Spezialität aus der Region.

4
- ○ A Die Schwarzwaldhochstraße ist eine Autobahn.
- ○ B Die Schwarzwaldhochstraße beginnt in Stuttgart.
- ○ C Die Schwarzwaldhochstraße ist eine Panoramastraße.

Lösung: 1C 2B 3B 4C